Cocina para
fiestas infantiles

Cocina para fiestas infantiles

Sara Elena Rocha
Mariana Centeno

LAROUSSE

Dirección editorial: Tomás García Cerezo
Editora responsable: Verónica Rico Mar
Asistencia editorial: Gustavo Romero Ramírez, Marahí López Pineda,
Montserrat Estremo Paredes
Diseño y formación: Sergio Ávila Figueroa
Fotografía: Leticia López Pérez / Matías Olivera
Fotografía complementaria: Shutterstock.com
Estilismo y ambientación de locaciones: Nelly Güereña
y Sandra de la Mora
Locaciones: Cristina Ramos, Nelly Güereña, Paulina Benavides
Ambientación: Matarile Store
Corrección: Joel Arturo Serrano Calzado
Diseño de portada: Ediciones Larousse S.A. de C.V. con la colaboración
de Creativos SA
Modelos:

Alejandro Prieto Botaya
Ana Lucía Gómez Galvarriato Benavides
Ana Sofía García González
Carolina Sampson Sánchez
Cristel Tena García
Diego Moreno de la Mora
Elías Cartas López
Emiliano Gatica Alamán
Fernanda Alonso Sánchez de Ovando
Iñaki San Sebastián Almeida
Isabel Gómez Galvarriato Benavides
Isabel Noriega Arriaga
Lander San Sebastián Almeida
Marianelly Cartas Güereña
Mariano Casillas Larrañaga

Melisa Cartas Güereña
Natalia Prieto Botaya
Nicolás Casillas Larrañaga
Paola García Rocha
Paula Gómez Galvarriato Benavides
Paulina García González
Regina Saldívar Centeno
Ricardo de Buen Ramos
Rodrigo Alonso Sánchez de Ovando
Santiago de Buen Ramos
Sebastián Cartas López
Sofía Noriega Arriaga
Valentina Moreno de la Mora
Ximena Saldívar Centeno

PRESENTACIÓN

Cocinar para los niños siempre es una gran satisfacción. Y verlos disfrutar una fiesta con divertidas y deliciosas recetas, siempre será más agradable.

La obra que tiene en sus manos le ayudará a crear los platillos y las atmósferas perfectas para celebrar cualquier fiesta que desee. Convertir un cumpleaños, una reunión entre amigos o cualquier fecha importante para sus hijos en una gran fiesta temática, será todo un éxito: una tarde hawaiana, un baile disco, una celebración de hadas y princesas o jugar a ser chefs o piratas busca tesoros, son sólo algunas de las posibles opciones para celebrar en grande con los pequeños.

Las recetas están elaboradas de forma clara e ilustradas con fotografías, y van desde platos salados, postres y atractivos pasteles, hasta sofisticadas bebidas. Además, se incluye un glosario, el cual le ayudará a obtener los resultados perfectos.

Consienta a sus hijos y elabore estas recetas con ellos. Estarán muy entusiasmados de participar midiendo y mezclando ingredientes, amasando y dando forma a sus creaciones para compartir con sus amigos, al tiempo que deciden qué disfraz utilizarán y cómo decorarán la mesa principal.

Esta obra forma parte del esfuerzo de Larousse por ofrecer una amplia variedad de libros de cocina dirigidos al público tanto profesional como aficionado. Sin duda alguna, este libro será el pretexto perfecto para organizar fiestas divertidas, en las cuales las ilusiones de los niños se harán realidad.

CONTENIDO

Piratas busca tesoros

Barco pirata

MODO DE PREPARACIÓN

Pasta

1. Llene una olla grande hasta ¾ partes de su capacidad y colóquela sobre el fuego con la cebolla, el aceite y sal. Cuando hierva a borbotones, añada el espagueti y cueza durante 12 minutos. Escurra la pasta y mézclela con la crema y un poco de pimienta. Rectifique la sazón y reserve.

Barcos

1. Precaliente el horno a 180 °C.
2. Corte las calabacitas por la mitad a lo largo y, con ayuda de una cuchara, extraiga la pulpa. Reserve.
3. Pique finamente la cebolla y fríala en el aceite; cuando esté acitronada, agregue la carne, sal y pimienta; sofría unos minutos más y añada las verduras y el caldillo de jitomate. Deje sobre el fuego hasta que todo se haya cocido y la mayor parte del líquido se haya evaporado.
4. Rellene las calabacitas con el picadillo y hornee durante 20 minutos o hasta que las calabacitas queden cocidas pero aún firmes.
5. Coloque encima de cada calabacita 2 brochetas, simulando las velas de los barcos.
6. Para servir, coloque los barcos encima de una cama de espagueti.

INGREDIENTES

PARA PREPARAR 8 PORCIONES

PASTA
¼ de cebolla
2 cucharadas de aceite
250 g de espagueti
250 ml de crema
sal y pimienta al gusto

BARCOS
8 calabacitas italianas
1 cebolla chica
2 cucharadas de aceite
300 g de carne molida
1 lata mediana de verduras mixtas (zanahoria, elote, papa, chícharo)
350 ml de caldillo de jitomate
16 rectángulos de tortillas de maíz de colores, insertados en brochetas y fritos
sal y pimienta al gusto

Huesitos de queso

INGREDIENTES

**PARA PREPARAR
8 PORCIONES**

½ taza (1 barra) de
    mantequilla suavizada
450 g de queso cheddar
    rallado, a temperatura
    ambiente
2 tazas de harina
1 cucharada de polvo para
    hornear
sal y pimienta al gusto

MODO DE PREPARACIÓN

1. Precaliente el horno a 180 °C.
2. Bata la mantequilla en la batidora con sal y pimienta hasta acremar. Agregue el queso cheddar e incorpore muy bien.
3. Mezcle la harina con el polvo para hornear; poco a poco añada estos ingredientes a la preparación de queso e incorpore hasta que la masa se haga una bola. Con las manos forme esferas del tamaño de una pelota de golf y después deles forma de puro; en las puntas, haga la forma de un corazón, simulando los extremos de los huesitos. Hornee por 15 minutos o hasta que se doren un poco, sáquelos del horno, déjelos enfriar y sirva.

Arañas patonas

MODO DE PREPARACIÓN

1. Coloque los pastelitos en un platón y cúbralos con el betún de chocolate. Pegue los dulces de chocolate confitado para formar los ojos de la araña. Entierre las gomitas en la parte central de los pastelitos para formar las patas. Sirva las arañas sobre un platón.

TIPS: Para las patas de las arañas también puede utilizar limpiapipas de colores. Además de ser más fáciles de enterrar en los pastelitos, darán más color a las arañas.

Esta receta también la puede utilizar para la Noche de miedo.

INGREDIENTES

PARA PREPARAR 8 PORCIONES

1 taza de betún de chocolate
8 pastelitos redondos de chocolate con relleno de crema
100 g de dulces redondos de chocolate confitado
250 g de gomitas en forma de gusanito

Ojos de gelatina

MODO DE PREPARACIÓN

1. Hierva la leche, añada la gelatina, disuélvala muy bien y déjela enfriar.
2. Coloque los cascarones dentro de un cartón de huevos. En el fondo de los cascarones coloque 1 gomita tipo salvavidas en el centro, y dentro de ellas los dulces de chocolate confitados. Ya fría la mezcla de gelatina vacíela dentro de los cascarones y refrigere hasta que cuajen.
3. Para servir, rompa los cascarones y coloque las gelatinas en un platón.

TIP: Este postre lo puede preparar con la ayuda de sus hijos; ellos pueden colocar los dulces dentro de los cascarones para formar los ojos. Será sumamente divertido para todos.

INGREDIENTES

PARA PREPARAR 20 PORCIONES

1 ℓ de leche
1 paquete de gelatina de leche sabor vainilla
20 cascarones de huevo partidos a la mitad y lavados
20 gomitas en forma de salvavidas
20 dulces pequeños de chocolate confitados

Torneo deportivo

Home run
de queso

MODO DE PREPARACIÓN

1. Forme una esfera con el paté de jamón endiablado. Extienda el queso crema sobre papel encerado y coloque el paté en el centro; cúbralo con el queso, forme una media esfera y refrigere.
2. Corte 4 tiras largas de pimiento y el resto en tiras cortas.
3. Decore la media esfera de queso con el pimiento, formando con las tiras largas semicírculos y encima de éstos las tiras cortas para simular una pelota de béisbol. Acompañe con las rebanadas de pan tostado.

INGREDIENTES

PARA PREPARAR 8 PORCIONES

100 g de paté de jamón endiablado

190 g de queso crema a temperatura ambiente

1 lata de pimiento morrón rojo

8 rebanadas de pan tostado

Wraps de jamón y queso

INGREDIENTES

**PARA PREPARAR
10 PORCIONES**

190 g de queso crema a
temperatura ambiente
3 cucharadas de crema
10 tortillas de harina
200 g de jamón de pierna o
de pavo, en bastones
200 g de queso manchego
rallado
2 zanahorias peladas
y ralladas
150 g de salsa barbecue

MODO DE PREPARACIÓN

1. Mezcle el queso con la crema y unte sobre las tortillas de harina.
2. Coloque sobre las tortillas un bastón de jamón, queso manchego y zanahoria; enrolle en forma de taquito y corte cada uno en tres porciones, desechando las puntas.
3. Caliente los wraps sobre un comal hasta que la tortilla esté dorada y el queso derretido.
4. Sirva los wraps con la salsa barbecue.

Brownies touchdown

INGREDIENTES

**PARA PREPARAR
8 PORCIONES**

520 g de harina preparada
   para brownies
¼ taza de agua
⅔ de taza de aceite
2 huevos
450 g de betún sabor
   chocolate
100 g de betún blanco
   o de vainilla
azúcar color verde, al gusto

MODO DE PREPARACIÓN

1. Precaliente el horno a 200 °C.
2. Engrase y enharine un molde rectangular. Mezcle la harina preparada para brownies, el agua, el aceite y los huevos hasta lograr una mezcla homogénea. Vacíe la mezcla en el molde y hornee entre 35 y 45 minutos o hasta que al introducir un palillo en el centro de la mezcla, éste salga limpio. Retire del horno, deje enfriar y desmolde.
3. Corte los brownies en rectángulos de 10 centímetros cada uno; corte las esquinas de la parte superior e inferior para darles forma de balón de futbol americano.
4. Unte el betún de chocolate sobre los brownies y refrigere durante 1 hora aproximadamente.
5. Saque los brownies del refrigerador y, con ayuda de una manga para repostería y una duya, decórelos con el betún blanco o de vainilla simulando las costuras del balón. Sírvalas sobre un plato con el azúcar verde.

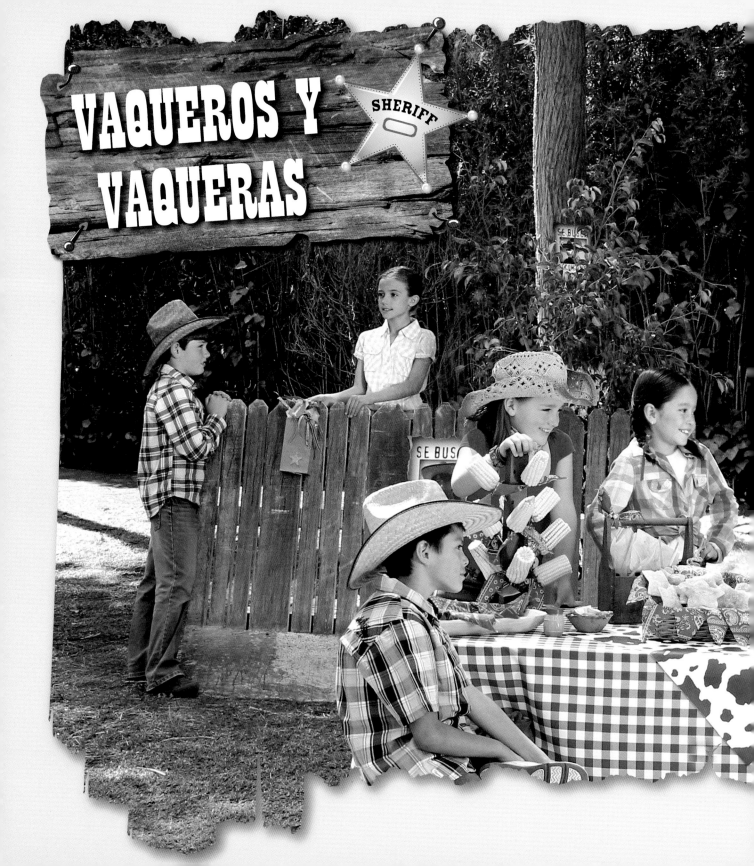

VAQUEROS Y VAQUERAS

Esquites locos

MODO DE PREPARACIÓN

1. Cueza los granos de elote en una olla con suficiente agua, sal y el epazote durante 45 minutos. Retire los granos de elote del fuego y reserve.

2. Caliente en un sartén amplio la mantequilla y fría la cebolla y el ajo. Añada los granos de elote sin caldo, y sofría unos cuantos minutos; reserve.

3. Mezcle la mayonesa, la crema y el jugo de los limones. Reserve.

4. Sirva los granos de elote en un vaso y vierta un poco de caldo. Ponga encima 2 cucharadas de la mezcla de mayonesa, crema y limón, y espolvoree el chile piquín y el queso tipo canasto.

TIP: Los elotes completos, sin desgranar, también les encantan a los pequeños. Cueza los elotes e inserte en la base de cada uno palitos de madera o trinches especiales para elotes; aderécelos con la mezcla de mayonesa, chile piquín y queso.

INGREDIENTES

PARA PREPARAR 8 PORCIONES

8 elotes blancos desgranados
2 ramas de epazote
50 g de mantequilla
½ cebolla picada finamente
2 dientes de ajo picados finamente
190 g de mayonesa
250 ml de crema
el jugo de 2 limones
50 g de chile piquín
150 g de queso tipo canasto, desmoronado
sal al gusto

Macarrón vaquero

MODO DE PREPARACIÓN

1. Precaliente el horno a 180 °C.
2. Llene una olla grande hasta ¾ partes de su capacidad y colóquela sobre el fuego con la cebolla, el aceite y sal. Cuando hierva a borbotones, añada el macarrón y cueza durante 12 minutos. Escurra la pasta, colóquela en un refractario y reserve.
3. Bata ligeramente los huevos y mézclelos con la crema, el queso gouda, el jamón y un poco de pimienta. Añada esta mezcla a la pasta, espolvoree el queso parmesano y hornee a durante 20 minutos o hasta que la superficie se dore. Retire del horno y sirva decorado con el perejil picado.

Buñuelos del sheriff

MODO DE PREPARACIÓN

1. Ponga el aceite en un sartén amplio y colóquelo sobre el fuego.
2. Mezcle el azúcar y la canela; colóquelo en un recipiente extendido y reserve.
3. Corte las tortillas de harina con un cortador grande en forma de estrella.
4. Bata ligeramente los huevos, pase una estrella de tortilla por batido y fríala en el aceite; cuando se dore ligeramente, retírela de fuego y empanícela con la mezcla de azúcar. Repita este paso con todas las estrellas restantes. Deje enfriar y sirva.

Hadas y princesas

Espirales mágicas

INGREDIENTES

**PARA PREPARAR
DE 8 A 10 PORCIONES**

½ kg de pasta hojaldre
200 g de paté de jamón
   ahumado
250 g de queso manchego
   o gouda cortado en
   rebanadas delgadas
250 g de jamón de pavo
   cortado en rebanadas
   delgadas
5 hojas de espinaca
1 yema
ajonjolí al gusto

MODO DE PREPARACIÓN

1. Precaliente el horno a 200 °C.
2. Extienda la pasta hojaldre con un rodillo sobre una superficie plana y enharinada hasta obtener un rectángulo con un grosor de 3 milímetros.
3. Unte el paté de jamón ahumado sobre toda la pasta hojaldre. Distribuya las rebanadas de queso, encima las de jamón de pavo y al final las espinacas. Enrolle la pasta hojaldre sobre sí misma, sin presionar demasiado, y corte rebanadas de 2 centímetros de grosor.
4. Sujete cada rebanada insertando un palillo para brocheta en el extremo suelto de la pasta hojaldre. Barnice las rebanadas con la yema ligeramente batida, espolvoree un poco del ajonjolí y hornee entre 10 y 15 minutos. Retírelos del horno y sirva.

Salchimariposas

INGREDIENTES

**PARA PREPARAR
DE 8 A 10 PORCIONES**

1 taza de aceite
½ kg de salchicha cocktail
½ ℓ de mezcla lista para
    preparar hot cakes
350 g de galletas tipo pretzels
½ taza de mayonesa
½ taza de salsa cátsup

MODO DE PREPARACIÓN

1. Precaliente el aceite.
2. Inserte un palillo para brocheta en cada salchicha y sumérjalas en la pasta para hot cakes.
3. Fría las salchichas hasta que adquieran un color dorado ligero. Retírelas del aceite, colóquelas sobre papel absorbente y reserve.
4. Inserte en los lados de cada salchicha una galleta tipo pretzel para simular las alas de la mariposa. Con la mayonesa, dibuje los ojos y la boca de las mariposas.
5. Mezcle la mayonesa restante con la cátsup y sirva como aderezo de las salchimariposas.

TIP: Acompañe esta creación con la ensalada de su preferencia. Mientras más colores tenga, los pequeños la comerán con mayor gusto.

Fantasía de limón

MODO DE PREPARACIÓN

1. Precaliente el horno a 200 °C.
2. Engrase un molde para panqués y en los huecos coloque capacillos que se ajusten.
3. Mezcle con la batidora a velocidad media la harina con la gelatina de limón, los huevos, el aceite y la leche durante 3 minutos.
4. Vierta la mezcla en los capacillos y llene a la mitad de cada uno; hornee entre 25 y 35 minutos o hasta que al introducir un palillo en el centro, éste salga limpio. Retírelos del horno y déjelos enfriar.
5. Mezcle el azúcar glass, el jugo y la ralladura de los limones y la mantequilla. Unte un poco de esta mezcla sobre cada panquecito, decore con las perlas de azúcar y el azúcar candy, refrigere hasta que el glaseado endurezca.

INGREDIENTES

PARA PREPARAR DE 10 A 12 PORCIONES

1 caja de harina preparada para pastel sabor vainilla (520 g)
80 g de gelatina de limón en polvo
5 huevos
1 taza de aceite
1 taza de leche
1 taza de azúcar glass
el jugo de 3 limones y su ralladura
20 g de mantequilla
perlas de azúcar confitado de colores, al gusto
azúcar candy al gusto

Elixir

MODO DE PREPARACIÓN

1. Licue todos los ingredientes excepto las hojas de menta y los hielos y refrigere. Sirva con hielos y decorado con las hojas de menta.

INGREDIENTES

PARA PREPARAR 8 PORCIONES

750 g de frambuesas maduras
6 cucharadas de miel de abeja
1 taza de leche
2 tazas de yogurt natural
hojas de menta al gusto
hielos al gusto

Corona de joyas

INGREDIENTES

PARA PREPARAR DE 8 A 10 PORCIONES

90 g de queso crema
250 ml de crema ácida
50 g de pimiento morrón enlatado
1 paquete de pan de caja blanco
300 g de jamón de pavo cortado en rebanadas
½ kg de queso manchego cortado en rebanadas
30 chícharos cocidos
10 granos de elote cocidos
20 triángulos pequeños de zanahoria cocida

MODO DE PREPARACIÓN

1. Precaliente el horno a 150 °C.
2. Licue el queso crema, la crema ácida y el pimiento morrón. Reserve.
3. Elimine las orillas de las rebanadas de pan de caja y deles forma de corona con un cortador. Haga lo mismo con las rebanadas de jamón de pavo y de queso manchego.
4. Forme sándwiches con el pan, el jamón y el queso. Unte por encima con la mezcla de queso crema y hornee durante 10 minutos.
5. Decore las coronas con los chícharos, los granos de elote y la zanahoria.

Invitación real

MODO DE PREPARACIÓN

Aderezo

1. Licue el queso crema, la crema ácida, el cubo de caldo de pollo, la pulpa del aguacate y el jugo de limón. Refrigere este aderezo durante 30 minutos como mínimo antes de servir.

Invitación

1. Precaliente el horno a 150 °C.
2. Caliente el aceite y sofría la cebolla; cuando esté acitronada, añada los frijoles, mezcle muy bien y deje sobre el fuego hasta que los frijoles se calienten.
3. Añada a cada tortilla de harina 1 cucharada de frijoles refritos, distribúyalos bien y coloque encima 1 rebanada de queso panela.
4. Cierre las tortillas en forma de taco, pegue los bordes con un poco de crema y coloque una mitad de jitomate cherry para simular el sello de la invitación real.
5. Hornee entre 5 y 6 minutos o hasta que la tortilla esté crujiente.
6. Sirva las invitaciones reales decoradas con las hojas de albahaca y acompañadas del aderezo y las hojas de lechuga.

INGREDIENTES

PARA PREPARAR 8 PORCIONES

ADEREZO
190 g de queso crema
250 ml de crema ácida
1 cubo de concentrado de caldo de pollo
1 aguacate grande
el jugo de un limón

INVITACIÓN
2 cucharadas de aceite
1 cebolla chica picada finamente
200 g de frijoles refritos
8 tortillas de harina
8 rebanadas de queso panela
4 jitomates cherry partidos por la mitad
hojas de lechuga, al gusto
hojas de albahaca, al gusto

Tiaras de mango

MODO DE PREPARACIÓN

1. Licue la pulpa de los mangos, la leche condensada y la esencia de vainilla. Reserve en refrigeración.
2. Derrita el chocolate blanco a baño María.
3. Corte un transfer* en tiras de 5 centímetros de ancho; corte en uno de los bordes ocho triángulos para simular la tiara. Unte cada tira con una capa delgada del chocolate blanco derretido, de inmediato pegue un extremo de la tira con el otro para formar un círculo, y déjelos solidificar en refrigeración.
4. Saque del refrigerador las tiaras y desprenda el transfer de cada una. Colóquelas en un plato, introduzca dentro la mezcla de mango y decórelas con los chochitos de azúcar y las perlas de chocolate confitado.

TIP: Estas tiaras son deliciosas si se comen bien frías. De ser necesario, una vez que haya rellenado las tiaras, y aún sin haberlas decorado, refrigérelas durante 1 hora antes de consumirlas.

* El transfer es una hoja de acetato con diseños variados, que se utiliza para decorar el chocolate. Lo puede conseguir en tiendas especializadas de repostería y chocolatería.

INGREDIENTES

PARA PREPARAR 8 PORCIONES

400 g de chocolate blanco
3 mangos Manila
1 lata grande leche condensada
3 gotas de esencia de vainilla
chochitos de azúcar de colores al gusto
64 perlas de chocolate confitado

Bebida de la reina

MODO DE PREPARACIÓN

1. Mezcle el agua mineral con el jugo de los limones, el azúcar y el colorante vegetal rojo.
2. Sirva esta refrescante bebida decorada con las rodajas de limón.

INGREDIENTES

PARA PREPARAR 8 PORCIONES

1 ℓ de agua mineral fría
el jugo de 6 limones
180 g de azúcar
4 gotas de colorante vegetal rojo
8 rodajas de limón

AVENTURA DE SAFARI

BOLITAS DE PAPA

INGREDIENTES

PARA PREPARAR 8 PORCIONES

2 papas grandes cocidas y peladas
6 cucharadas de mantequilla
2 latas de atún drenadas
3 tazas de pan molido
5 huevos
1 cucharada de perejil picado
sal al gusto
cantidad suficiente de aceite
hojas de lechuga escarola al gusto
salsa cátsup al gusto

MODO DE PREPARACIÓN

1. Machaque las papas aún calientes, junto con la mantequilla hasta obtener un puré. Añada el atún, la mitad del pan molido, 2 huevos, el perejil y sal. Mezcle muy bien.
2. Bata ligeramente los 3 huevos restantes y reserve.
3. Forme con la mezcla esferas del tamaño de una pelota de ping-pong; páselas por el huevo y empanícelas con el pan molido restante.
4. Caliente aceite en un recipiente amplio y fría las bolitas de papa durante 2 o 3 minutos. Colóquelas sobre una servilleta de papel absorbente, déjelas enfriar, colóquelas sobre las hojas de lechuga y sírvalas acompañadas con la salsa cátsup.

LEONES DE QUESO

MODO DE PREPARACIÓN

1. Coloque en un procesador de alimentos la carne molida, la papa, las zanahorias y el caldo de pollo; muela durante 2 minutos o hasta que se forme una mezcla homogénea. Incorpore la mayonesa, la mostaza y la sal; reserve.

2. Corte las rebanadas de queso amarillo en triángulos largos y reserve. Corte las rebanadas de pan de caja en forma de cara de león (ver fotografía). En la mitad de ellas unte la mezcla de carne, coloque encima el queso manchego y simule el pelaje del león con los triángulos de queso amarillo. Tape con las rebanadas de pan restantes.

3. Corte el pepino para simular la nariz y la boca del león y forme los bigotes con las tiras de zanahorias (ver fotografía). Sirva los leones acompañados de las hojas de lechuga.

INGREDIENTES

PARA PREPARAR 8 PORCIONES

- 675 g de carne molida cocida
- 1 papa grande cocida y pelada
- 2 zanahorias peladas y cocidas
- ½ taza de caldo de pollo
- 2 cucharadas de mayonesa
- 3cucharadas de mostaza
- ½ cucharadita de sal
- 8 rebanadas de queso amarillo
- 16 rebanadas de pan de caja blanco
- 100 g de queso manchego rallado
- ½ pepino
- 1 zanahoria cortada en tiras pequeñas
- hojas de lechuga al gusto

PIRULETAS DE PLÁTANO

INGREDIENTES

**PARA PREPARAR
8 PORCIONES**

8 plátanos dominicos no muy
   maduros, sin cáscara
8 palitos de madera para
   paleta
300 g de chocolate para
   repostería semiamargo
   troceado
chochitos, dulces de azúcar
   confitados, nuez picada y
   coco rallado al gusto

MODO DE PREPARACIÓN

1. Inserte en la punta de los plátanos los palitos de
   madera hasta llegar a la mitad de cada plátano.
   Congélelos durante 1 hora.

2. Derrita el chocolate a baño María. Cubra la mitad de
   cada plátano con el chocolate fundido y decórelos
   con los chochitos, los dulces de azúcar, la nuez o el
   coco. Congele las piruletas durante 1 hora y sirva.

TIP: Con un sacabocados extraiga esferas de medio melón
y de un trozo de sandía. Sirva las piruletas clavadas en
medio melón lleno de las esferas de fruta.

La decoración de las piruletas puede cambiar por
granillo de colores, almendra troceada, amaranto,
chispas de chocolate… o lo que prefieran los
pequeños.

NOCHE DE MIEDO

MOUSSE DE MIEDO

INGREDIENTES

PARA PREPARAR 8 PORCIONES

2 kg de espinacas
2 tazas de crema
1 sobre (7 g) de grenetina
cantidad suficiente de aceite
  en aerosol
galletas saladas al gusto
sal y pimienta al gusto

MODO DE PREPARACIÓN

1. Caliente suficiente agua con sal en una olla grande, cuando hierva, añada las espinacas. Cuézalas durante 5 minutos y cuélelas. Licue las espinacas con la crema y salpimente. Hidrate la grenetina en agua fría y caliéntela a baño María; cuando se haya disuelto, añádala a las espinacas y mézclela hasta deshacer todos los grumos.

2. Rocíe con aceite en aerosol el interior de un molde en forma de araña y vacíe dentro la mezcla de espinaca. Refrigere hasta que cuaje.

3. Desmolde el mousse y acompañe con las galletas saladas.

TRIPAS LOCAS

MODO DE PREPARACIÓN

1. Precaliente el horno a 180 °C.
2. Llene con agua una olla grande hasta ¾ partes de su capacidad y colóquela sobre el fuego con la cebolla, 2 cucharadas de aceite y sal. Cuando hierva a borbotones, añada el espagueti y cueza durante 12 minutos. Escurra la pasta y reserve.
3. Caliente el resto del aceite en un sartén y sofría la cebolla y el ajo a fuego bajo durante 5 minutos. Añada el caldo de pollo, el jitomate y el concentrado de tomate. Deje sobre el fuego durante 5 minutos y rectifique la sazón.
4. Coloque en capacillos un poco de espagueti, añada un poco del preparado de jitomate y acomode cada capacillo dentro de un hueco de una charola para panqués. Hornee durante 20 minutos, saque del horno y sirva cada capacillo decorado con el perejil picado.

INGREDIENTES

**PARA PREPARAR
12 PORCIONES**

½ cebolla
4 cucharadas de aceite de oliva
450 g de espagueti
1 cebolla picada finamente
1 diente de ajo picado
250 ml de caldo de pollo
800 g de jitomate picado finamente
1 cucharada de concentrado de tomate
¼ de taza de perejil picado
sal y pimienta al gusto

PONCHE DE REPTILES

MODO DE PREPARACIÓN

1. Coloque las gomitas con forma de reptiles en el fondo de un molde para rosca. Vierta la bebida hidratante y congele durante toda una noche.
2. Mezcle en una ponchera todos los ingredientes restantes. Desmolde el aro congelado de gomitas, póngalo dentro de la ponchera y sirva.

INGREDIENTES

PARA PREPARAR 8 PORCIONES

- 150 g de gomitas con forma reptiles
- 1 ℓ de bebida hidratante para deportistas sabor lima-limón
- 2 ℓ de jugo de arándano
- 1 ℓ de jugo de naranja
- 1 ℓ de de jugo de piña
- ½ taza de jugo de limón
- 2 ℓ de ginger ale
- 6 rajas de canela

FANTASMINES

MODO DE PREPARACIÓN

1. Caliente en una olla la mantequilla a fuego bajo y agregue los bombones; mueva constantemente hasta que se derritan, añada el arroz inflado e integre bien hasta obtener una mezcla de consistencia pegajosa. Reserve.
2. Moje con agua las paredes internas de 8 cortadores en forma de fantasmas. Colóquelos sobre una charola con papel encerado, rellénelos con la preparación de bombones y déjelos reposar durante 30 minutos o hasta que endurezcan.
3. Coloque dos puntos de chocolate fundido en cada fantasma y pegue 2 dulces redondos para formar los ojos. Clave un palito de madera debajo de cada fantasma y decórelos con el chocolate restante.

TIP: Si no consigue los cortadores en forma de fantasma, puede vaciar la mezcla en un refractario y cortar cuadrados o rectángulos cuando se haya secado. Cada porción podrá decorarla con el chocolate fundido simulando los fantasmines.

INGREDIENTES

PARA PREPARAR 8 PORCIONES

- 120 g de mantequilla fundida
- 16 bombones color blanco
- 4 tazas de arroz inflado sabor vainilla
- 150 g de chocolate fundido
- 16 dulces redondos de chocolate confitado

Tarde
hawaiana

Arrecife de coral

MODO DE PREPARACIÓN

1. Bata la crema con la mantequilla derretida durante 5 minutos. Incorpore el queso parmesano y el perejil. Caliente durante 5 minutos a fuego bajo y reserve.
2. Realice a cada salchicha ocho cortes a lo largo, sin cortar un extremo de las mismas que servirá como cabeza de los pulpos.
3. Caliente 1½ litros de agua en una olla e introduzca las salchichas. Deje que se cuezan durante 5 minutos, retírelas del fuego, escúrralas y reserve.
4. Caliente 1½ litros de agua y, cuando hierva, añada sal y la pasta. Cueza durante 10 minutos. Escúrrala, regrésela a la olla ya sin agua y mézclela con las verduras y la preparación de mantequilla y queso. Deje cocer durante 3 minutos más, rectifique la sazón y retire del fuego.
5. Sirva en platos la pasta con verduras, coloque encima un pulpo de salchicha y decore con las galletas de queso con forma de pez.

INGREDIENTES

PARA PREPARAR 8 PORCIONES

250 ml de crema
2 cucharadas de mantequilla derretida
180 g de queso parmesano rallado
1 cucharada de perejil picado
8 salchichas
400 g de pasta en forma de caracol
200 g de verduras mixtas congeladas
galletas de queso con forma de pez, al gusto

Sandalias hawaianas

MODO DE PREPARACIÓN

1. Dibuje sobre un trozo de cartulina una plantilla en forma de sandalia de 25 centímetros de largo y recórtela.

2. Precaliente el horno a 200 °C. Engrase y enharine un molde rectangular para hornear de 30 centímetros de largo.

3. Mezcle en la batidora la harina para pastel, los huevos, la mantequilla y la leche. Vierta la mezcla en el molde y hornee entre 40 y 45 minutos, o hasta que al introducir un palillo en el centro del pastel salga limpio. Retire del horno y deje enfriar muy bien.

4. Corte el pan en forma de sandalia con la ayuda de la plantilla y colóquela en una base.

5. Divida el betún en dos y añada a cada una el colorante vegetal de su preferencia (lucirán muy bien si hacen contraste, por ejemplo, rosa y naranja). Unte un color de betún en la parte superior de la sandalia, y con el otro color unte los bordes de ésta.

6. Vacíe los tubos de chochitos y corte por la mitad cada uno. Cúbralos de betún y pegue sobre ellos los chochitos de colores. Acomódelos sobre la sandalia para formar las tiras de ésta y decore con los dulces de azúcar en forma de flores y las gerberas.

TIP: Duplique las cantidades de los ingredientes para obtener otra sandalia y formar el par.

INGREDIENTES

PARA PREPARAR DE 10 A 12 PORCIONES

1 caja de harina preparada para pastel sabor vainilla (520 g)

3 huevos

45 g de mantequilla derretida

250 ml de leche

½ kg de betún blanco para pastel

colorantes vegetales al gusto

2 tubos plásticos de chochitos de colores, al gusto

dulces de azúcar en forma de flores, al gusto

2 gerberas naturales o artificiales

Varita tropical

MODO DE PREPARACIÓN

1. Corte los palitos de queso mozzarella en tres partes. Inserte en un palillo para brocheta un jitomate, un cubo de jamón y un trozo de queso. Repita este procedimiento hasta llenar la brocheta y finalizar 10 palillos. Decore con las hojas de perejil.

INGREDIENTES

PARA PREPARAR 10 PORCIONES

10 palitos de queso mozzarella
450 g de jamón cortado en cubos medianos
½ piña chica, pelada y cortada en cubos medianos
10 jitomates cherry
hojas de perejil al gusto

Fresa colada

MODO DE PREPARACIÓN

1. Licue las fresas congeladas, el jugo de piña, la crema de coco y los hielos hasta obtener un frappé.
2. Sirva la bebida en copas y decórelas con las rebanadas de fresa, las hojas de menta y sombrillas de papel para cocteles.

TIP: Para preparar la tradicional piña colada, omita las fresas y añada 1 lata de leche evaporada. Para los pequeños también es deliciosa.

INGREDIENTES

PARA PREPARAR DE 6 A 8 PORCIONES

2 tazas de fresas congeladas
2 tazas de jugo de piña
1 taza de crema de coco
2 tazas de hielo
2 fresas cortadas en rebanadas a lo largo
hojas de menta al gusto

CELEBRACIÓN ORIENTAL

ROLLITOS JAPONESES

INGREDIENTES

**PARA PREPARAR
8 PORCIONES**

16 huevos
cantidad suficiente de aceite
  en aerosol
8 rebanadas de jamón
8 rebanadas de queso
  manchego
cebollines
½ pepino pelado y rallado
zanahoria en forma de flores y
  elotes cambray, al gusto

MODO DE PREPARACIÓN

1. Bata los huevos ligeramente y salpimente.
2. Caliente un sartén pequeño, rocíelo con un poco de aceite en aerosol y vierta una porción equivalente a 2 huevos; extienda el huevo sobre todo el sartén para formar una capa delgada a manera de tortilla. Cuando esté cocida por la base, voltéela, termine de cocer y retírela del fuego. Repita este paso hasta obtener 8 tortillas de huevo.
3. Coloque sobre cada pieza de huevo una rebanada de jamón y una rebanada de queso manchego. Enrolle cada una en forma de taquito, corte por la mitad y amarre cada pieza con el cebollín. Sirva decorado con las flores de zanahoria y la ralladura de pepino.

SUSHI-PAN

MODO DE PREPARACIÓN

1. Corte las orillas de las rebanadas de pan de caja y deséchelas. Unte sobre cada rebanada el queso crema untable y córtelas por la mitad. Reserve.
2. Pele ¼ de pepino y las zanahorias y corte en tiras muy delgadas. Caliente el aceite y sofría las tiras junto con el pollo y un poco de salsa de soya. Retire del fuego, rectifique la sazón y deje enfriar.
3. Coloque la mezcla de pollo sobre ⅓ de las rebanadas de pan untadas de queso, enrolle y cubra cada rollo con ajonjolí.
4. Rebane ½ pepino en láminas muy delgadas y corte tiras de 10 centímetros de largo. Coloque encima del otro tercio de rebanadas la mitad del jamón, queso gouda y enrolle. Cubra los rollitos con las láminas de pepino.
5. Corte el tercio restante de las rebanadas y las tiras de jamón en cuadros del mismo tamaño y arme sándwiches con los cuadros de pan, los cuadros de jamón y termine con pan untado. Espolvoree por encima ajonjolí.

INGREDIENTES

PARA PREPARAR 12 PORCIONES

500 g de pan de caja
110 g de queso crema untable
1 pepino
1 zanahoria pelada
2 cucharadas de aceite
1 taza de pechuga de pollo cocida y deshebrada
225 g de jamón pavo rebanado y cortado en tiras
225 g de queso gouda cortado en rebanadas delgadas
salsa de soya al gusto
ajonjolí al gusto
hojuelas japonesas al gusto
sal al gusto

PAY HELADO DE ORIENTE

MODO DE PREPARACIÓN

1. Muela las galletas en la licuadora hasta que obtenga un polvo. Reserve.
2. Derrita la mantequilla y viértala sobre las galletas molidas; mezcle hasta obtener una consistencia uniforme. Extienda sobre un refractario redondo y refrigere durante 30 minutos o hasta que endurezca.
3. Hierva el agua y disuelva en ella la grenetina. Reserve.
4. Licue las fresas congeladas, el helado de fresa, el queso crema y el jugo de limón. Añada la grenetina y mezcle bien, cerciorándose que no queden grumos. Vacíe esta mezcla sobre el refractario con la base de galleta y congele durante 2 horas como mínimo.
5. Desmolde el pay, esparza encima la mermelada de fresa y decore con rebanadas de fresa y chispas de chocolate.

Baile
disco

Micrófonos cherry

MODO DE PREPARACIÓN

Aderezo
1. Mezcle todos los ingredientes en un tazón hasta integrar perfectamente. Pase a una salsera o recipiente hondo pequeño y reserve.

MIcrófonos
1. Inserte en cada palito de queso mozzarella un palillo y sujete un jitomate en cada uno.
2. Coloque en un recipiente hondo y angosto una cama de hojas de lechuga italiana y ponga dentro los micrófonos; acompañe con el aderezo.

Disco-pizza Margarita

**PARA PREPARAR
12 PORCIONES**

3 jitomates bola grandes
6 piezas grandes de pan
    árabe
6 cucharadas de aceite de
    oliva
400 g de salsa para pizza o
    puré de tomate
225 g de queso mozzarella
24 hojas de albahaca
cantidad suficiente de
    orégano seco
1 cucharadita de sal con ajo

MODO DE PREPARACIÓN

1. Precaliente el horno a 175 °C.
2. Corte cada jitomate en rebanadas. Unte un poco de aceite de oliva sobre cada pan árabe.
3. Esparza 4 cucharadas de salsa para pizza o puré de tomate sobre cada pan sin llegar a las orillas. Espolvoree el queso mozzarella y coloque encima 3 rebanadas de jitomate, 4 hojas de albahaca picadas, orégano y un poco de sal con ajo.
4. Hornee entre 15 y 20 minutos o hasta que el queso esté completamente gratinado.

TIP: Puede cambiar los ingredientes para variar el sabor de las Disco-pizzas: jamón, piña, champiñones, cebolla, pimiento morrón, peperoni, tocino. Será más divertido si los pequeños aportan sus ideas y ayudan a prepararlas.

Pastel guitarra eléctrica

MODO DE PREPARACIÓN

1. Dibuje y recorte en una cartulina blanca una guitarra eléctrica sin el mango, de modo que ésta quepa dentro de un molde rectangular para hornear la masa de pastel.
2. Precaliente el horno a 200 °C.
3. Engrase y enharine un molde para hornear grande y rectangular
4. Mezcle en una batidora la harina preparada para pastel, los huevos, la mantequilla y la leche; vierta la mezcla en el molde y hornee entre 40 y 45 minutos o hasta que al introducir un palillo en el centro, éste salga seco. Retire del horno y deje enfriar.
5. Desmolde el pan y coloque encima el dibujo de guitarra para cortarlo con esta forma, colóquelo sobre una base grande y reserve.
6. Separe el betún en tres partes. Mezcle una parte del betún para pastel con el colorante vegetal morado; otra parte con el colorante gris y la tercera consérvela color blanco.
7. Unte el betún morado sobre todo el pastel y refrigere durante 1 hora o hasta que el betún endurezca. Unte otra capa de betún morado sobre el pastel y, con el betún gris, forme el centro de la guitarra y cubra con granillo.
8. Coloque en la parte superior del pastel los pastelitos de chocolate en forma vertical para simular el mango de la guitarra; sobre éstos dibuje líneas con el betún blanco.
9. Decore la guitarra con los dulces de azúcar de colores en forma de estrella y los chiclosos.

INGREDIENTES

**PARA PREPARAR
DE 12 A 15 PORCIONES**

Una caja de harina preparada para pastel sabor chocolate (520 g)
3 huevos
90 g de mantequilla derretida
1 taza de leche
1 kg de betún blanco para pastel
colorante vegetal morado, al gusto
colorante vegetal gris, al gusto
granillo plateado, al gusto
10 pastelitos comerciales sabor chocolate con relleno de mermelada de piña
dulces de azúcar de colores en forma de estrella, al gusto
chiclosos en forma de tiras, al gusto

timbal de jitomate y queso

INGREDIENTES

PARA PREPARAR 8 PORCIONES

6 cucharadas de aceite de oliva
1 cucharada de miel
2 cucharadas de vinagre balsámico
8 rebanadas de pan de caja
8 rebanadas de jitomate bola
400 g de queso panela
8 hojas de albahaca picadas finamente
sal y pimienta al gusto

MODO DE PREPARACIÓN

1. Mezcle el aceite de oliva, la miel, el vinagre balsámico, sal y pimienta. Reserve
2. Corte 1 círculo en cada rebanada de pan de caja con un cortador y tuéstelos.
3. Coloque una rebanada de jitomate sobre el pan y encima coloque una rebanada redonda de queso panela. Repita este paso hasta terminar los ingredientes y hornee entre 8 y 10 minutos. Decore con la albahaca y bañe con la mezcla de aceite.

Bocaditos de carne

MODO DE PREPARACIÓN

1. Precaliente el horno a 180 °C.
2. Caliente el aceite en un sartén y sofría la cebolla y el pimiento; reserve.
3. Mezcle las carnes con el perejil, la salsa inglesa, el pan molido, las salchichas, el caldo de pollo en polvo, las aceitunas, la cebolla y el pimiento sofritos, y sal y pimienta.
4. Cubra un refractario con las rebanadas de tocino y vierta la mezcla de carne. Hornee durante 30 minutos, saque del horno, deje enfriar, porcione el pastel y sirva.

INGREDIENTES

**PARA PREPARAR
8 PORCIONES**

1 cucharada de aceite
½ cebolla picada finamente
1 pimiento morrón rojo picado finamente
½ kg de carne de res molida
½ kg de carne de cerdo molida
1 cucharada de perejil seco
1 cucharada de salsa inglesa
3 cucharadas de pan molido
2 salchichas de pavo cortadas en cubos pequeños
1 cucharada de caldo de pollo en polvo
8 aceitunas sin hueso cortadas en rebanadas
250 g de tocino cortado en rebanadas
sal y pimienta al gusto

Sangría

MODO DE PREPARACIÓN

1. Mezcle el azúcar, el jugo de naranja y el jugo de uva en una jarra grande.
2. Añada el refresco de toronja y decore con las manzanas y las espirales de cáscara de limón o naranja.

INGREDIENTES

**PARA PREPARAR
8 PORCIONES**

¼ de taza de azúcar
250 ml de jugo de naranja
1 ℓ de jugo de uva
1 ℓ de refresco de toronja
1 manzana pequeña cortadas en forma de estrella
8 espirales de cáscara de limón o naranja

torre Eiffel

INGREDIENTES

**PARA PREPARAR
4 PORCIONES**

½ taza de azúcar glass
½ clara
1 cucharada de jugo de limón
1 cucharada de agua
11 galletas cremas de nieve
   sabor vainilla
1 bola de helado

MODO DE PREPARACIÓN

1. Mezcle el azúcar con la clara y el jugo de limón hasta obtener una pasta.
2. Corte por mitad cuatro galletas; pegue tres trozos por los costados con la pasta de azúcar para formar un cuadrado. Cuando la pasta haya secado, una cuatro galletas en el cuadrado para simular las patas. Parta por la mitad el trozo restante y una ambos pedazos por los costados para formar un cuadrado pequeño. Deje secar.
3. Pegue cuatro galletas encima del cuadrado grande y una éstos en su parte superior con el cuadrado pequeño.
4. Corte un pequeño rectángulo de la última galleta, haga dos triángulos con el resto de esa galleta y péguelos sobre el rectángulo. Una esta estructura sobre la torre y deje secar.
5. Sirva esta creación con una bola de helado del sabor preferido de su pequeño.

TIP: Esta receta es ideal para elaborarla con los niños; podrán jugar a formar la torre y el ganador será aquél a quien no se le caiga.

GLOSARIO

Amasar

Barnizar

Acremar: mezclar o batir un ingrediente o una preparación para que adquiera una textura y consistencia cremosa.

Amasar: mezclar harina con uno o varios ingredientes, con las manos o con ayuda de una batidora, para incorporarlos bien y obtener una masa sin grumos y homogénea. También se refiere a la acción de "trabajar" la masa para que ésta obtenga una consistencia elástica (si la preparación lo requiere).

Azúcar: producto que se obtiene de la caña de azúcar y tiene distintos grados de refinamiento. Entre ellos se encuentra el azúcar mascabado, moreno, refinado, glass o impalpable, invertido e isomalt.

Blanquear: sumergir alimentos crudos por pocos minutos en agua hirviendo (generalmente con sal), para después enfriarlos en agua con hielo; los alimentos se escurren para posteriormente continuar su preparación. (Se puede definir como una precocción del alimento). Este proceso permite ablandar, depurar, eliminar el exceso de sal, quitar la acidez, pelar fácilmente o reducir el volumen de los ingredientes. También se aplica este término a la acción de batir las yemas hasta que adquieran una consistencia aireada, opaca y espumosa.

Baño María: acción que consiste en colocar un recipiente con la preparación que se desea cocinar dentro de otro mayor que contiene agua hirviendo. Sirve para diversos propósitos: mantener una mezcla caliente o fundir sin riesgo de que se quemen los ingredientes (chocolate, gelatina, mantequilla, preparaciones con huevo) y cocer los alimentos delicadamente con vapor.

Barnizar: recubrir algún tipo de masa, carne o alimento con un líquido como huevo, yema de huevo, aceite, mantequilla fundida u otro, con la ayuda de un pincel o una brocha. El objetivo de barnizar puede ser para dorar la superficie de la preparación en el horno, para cubrirla con una capa protectora y que no se queme tan fácilmente o para darle brillo cuando se va a servir.

Batir: sinónimo de montar. Trabajar enérgicamente con un batidor un elemento o una preparación con el fin de modificar su consistencia, su aspecto y su color. Este proceso puede ser manual o en la batidora. Las yemas y las claras de huevo se pueden "batir" para que esponjen y su consistencia sean más firme y aireada; una vinagreta, una salsa o una mezcla se "bate" para homogeneizarla.

Batir

Capacillo: recipiente que sirve para dar forma y contener una preparación que se va a hornear, o simplemente para su presentación. Puede estar hecho de papel o de silicón.

Colar: pasar por una coladera una crema, un jarabe, una salsa o alguna preparación líquida para que resulte homogénea y lisa.

Engrasar y enharinar: barnizar un molde o charola con mantequilla a temperatura ambiente o manteca vegetal; es recomendable utilizar una brocha para cubrir toda la superficie. Para enharinar, se agregan un par de cucharadas de harina al molde y se golpea suavemente, moviéndolo hasta cubrir toda la superficie.

Filetear: cortar en diagonal o en rebanadas finas, una pieza de carne, un filete de pescado o algunas verduras.

Marinar: remojar algún ingrediente en un líquido aromático durante un tiempo determinado para suavizarlo y perfumarlo.

Paté: pasta elaborada con hígado de pato, cerdo, conejo o pescado, grasa, varias especias y en ocasiones carne. De origen francés, se utiliza como relleno de diferentes preparaciones y como botana untado sobre pan tostado o galletas.

Pizca: medida que indica la cantidad de cualquier ingrediente en polvo que puede tomar con tres de los dedos; por ejemplo, una pizca de sal o una pizca de pimienta.

Reducir: disminuir el volumen de un líquido (caldo, salsa) por medio de la evaporación sobre fuego bajo, lo que acentúa su sabor gracias a la concentración de sus propiedades, además de otorgarle mayor untuosidad y consistencia.

Saltear: método de cocción a fuego alto en un sartén con una pequeña cantidad de grasa. Los ingredientes que se salteen siempre deben ser pequeños, para que su cocción sea rápida y uniforme.

Sofreír: dar un ligero color a algún alimento, dorándolo cuidadosamente en un elemento graso. La operación se realiza sobre todo con las cebollas, pero también se hace con vegetales diversos.

Trempar o trampar: acción que consiste en sumergir algún producto, procesado o no, en un baño de chocolate fundido. Este término es de uso común en chocolatería.

Vainilla: vaina seca y fermentada al sol de la orquídea mexicana de la vainilla. Para obtener la pulpa y semillas, se parte por la mitad a lo largo y se raspa con la punta de un cuchillo. El extracto se obtiene de la maceración de las vainas en alcohol.

Capacillo

Engrasar

Pizca

Vainilla

ÍNDICE